boomerang

Catalogage avant publication de Bibliothèque et Archives
nationales du Québec et Bibliothèque et Archives Canada

Titre : Belle et rebelle / Jess Vendette, auteure.

Noms : Vendette, Jess, 1981- auteur.

Collections : Méga toon.

Description : Mention de collection : Méga toon

Identifiants : Canadiana 20190016795 | ISBN 9782897093327

Classification : LCC PS8643.E54 B45 2019 | CDD jC843/.6 — dc23

Auteure : Jess Vendette
Couverture : Richard Petit
Illustrations des pages intérieures : Valérie Lachance
Grille graphique : Julie Deschênes

Dépôt légal — Bibliothèque et Archives nationales du Québec,
2ᵉ trimestre 2019

ISBN 978-2-89709-332-7

Imprimé au Canada

Gouvernement du Québec — Programme de crédit d'impôt
pour l'édition de livres — Gestion SODEC

Boomerang éditeur jeunesse remercie la SODEC pour l'aide
accordée à son programme éditorial.

À mon team gluant
de grenouillettes
xxx

Jess Vendette

Méga
Toon

Belle et rebelle

Chapitre 1

Parfaitement parfaite...

Les vacances de Pâques sont presque terminées, et mardi, je retournerai en classe après quatre jours de repos qui auront été, je peux l'annoncer à l'avance, totalement **ENNUYANTS**.

Je ne vois pas pourquoi mon dimanche et mon lundi de congé seraient plus intéressants que mon vendredi et mon samedi, vu que ma vie est d'une platitude sans nom.

Je suis en cinquième année,
dans la classe enrichie
de madame Mallette,
comme dans

« MALLETTE, LA VALISE ».

Bien entendu, **JAMAIS**
je n'oserais dire une chose
pareille devant
 ma professeure. Je suis
beaucoup trop « bonne
petite fille » pour ça.

D'ailleurs, QUI dit encore ça, « professeure », de nos jours ? Le mot complet là, je veux dire. **EH BIEN... PERSONNE !** Les jeunes de mon âge disent « prof », tout simplement.

Mais moi, Mademoiselle Parfaite, comme me surnomment à peu près tous les élèves de l'Académie primaire De-la-Berge, eh bien, j'en suis incapable.

Je dois prononcer chaque mot **PARFAITEMENT**.

Sans diminutif,
sans jargon,
sans fautes
de syntaxe
ou de grammaire.
Chaque phrase
doit être réfléchie
et impeccable.
Je suis faite
comme ça,
on dirait.

Je m'appelle **BÉATRICE**.
J'ai 10 ans. Je suis l'unique
enfant de Madeleine
Bournival et de Simon
Robichaud.

Mes parents sont des chercheurs qui travaillent pour une compagnie pharmaceutique appelée EGS Pharma...

EGS pour **E**xpériences **G**énétiques **S**ympathiques.

Ensemble, ils ont découvert un gène grâce auquel les grenouilles changent de couleur, un peu comme des caméléons, en plus de devenir vraiment drôles, attachantes et parfois incontrôlables !

Tous les magazines
de sciences du monde entier
en parlent.

Mes parents sont
des savants fous
célèbres, dans les sphères
scientifiques.

Mais pour le reste
de la planète, c'est-à-dire
pour les gens qui ne
modifient pas de l'**ADN**
tous les jours, ce ne sont
que deux personnes qui
travaillent trop et qui
tiennent des discours
vraiment complexes
sur **LA GÉNÉTIQUE**.

Nous habitons dans
un des quartiers les plus chics
de notre ville. Notre maison,
en grosses pierres des
champs, est immense vue
de l'extérieur.

Ce que les gens ne savent pas, c'est que sa surface est occupée à 75 % par un laboratoire à la fine pointe de la technologie !

On peut dire que mes parents m'ont fabriquée à leur image. Je suis un petit cerveau sur deux pattes.

On dirait presque que j'ai été modifiée génétiquement, moi aussi, pour ne jamais désobéir, pour être l'enfant dont tous les parents rêvent. Et connaissant ma mère et mon père, c'est presque possible.

QUI SAIT s'ils n'ont pas procédé à quelques petites manipulations d'**ADN** avant ma naissance afin de me rendre parfaite ?

J'ai de longs cheveux bruns ordinaires, de grands yeux verts (**MAIS PAS UN VERT CHOUETTE, LÀ, UN VERT ORDINAIRE**) et je suis

plutôt grande pour mon âge. Dans tous les cas, rien ne cloche dans mon apparence, mais je n'ai rien d'extraordinaire non plus.

À l'école, mes seuls

amis (et ils sont rares !)
font partie du même club de
sciences ou d'échecs que moi.

Et quand je dis « amis »,
c'est un grand mot.
Disons qu'on jase de choses
ayant rapport avec l'école
en mangeant notre lunch
ensemble pour ne pas être
seuls.

Nos sujets les plus
passionnants tournent autour
des études ou du dernier
projet de sciences, jamais
rien de plus excitant que ça.

Pas d'activités chouettes,

pas de sports, pas de sorties !

Juste des sujets ultra-ennuyants, tout le temps.

De toute ma vie, je n'ai jamais remis un seul devoir en retard ni fait quoi que ce soit qui puisse m'attirer des problèmes. Dans la vie en général non plus.

Pour résumer simplement, Béatrice Robichaud

NOTES:
TOUJOURS EXCELLENTES

COMPORTEMENT:
TOUJOURS EXCELLENT

RELATION AVEC LES PARENTS OU LES ENSEIGNANTS:
TOUJOURS MARQUÉE PAR L'OBÉISSANCE AUX CONSIGNES

Vie en général :
TOTALEMENT PLATE.

Et je n'aime pas
dire « plate », j'aimerais
mieux un mot plus
élaboré, je viens
de me forcer très fort
pour ne pas être
parfaite et y aller
avec quelque chose
de moins recherché.

Ces vacances de quatre jours, que j'aurai passées presque seule avec trois livres de mathématiques enrichies, en complétant tous mes devoirs du mois (incluant les exercices supplémentaires) et en ne voyant que rarement mes parents qui ont à peine pointé le nez hors de leur laboratoire maison, m'ont convaincue que ma situation doit changer. C'est urgent !

JE VEUX AVOIR UNE VIE PALPITANTE.

Je ne veux pas me contenter d'être un rat de laboratoire qui ne sait même pas comment s'amuser !

J'ai envie d'être comme les autres filles de mon âge.

Mais ça va changer.
IL LE FAUT. J'ai fait
des recherches secrètes
sur les protocoles dont
se servent mes parents
pour leurs expériences.
J'ai établi un plan
scientifique.

FINIE,
LA BÉATRICE
PARFAITE.

Je veux devenir comme
une des bestioles modifiées
qui font le succès
de mes parents :

Comment est-ce que je vais
réussir cette transformation-
là, te demandes-tu ?

FACILE ! Toutes les heures que j'ai passées à écouter mes parents parler de la formule scientifique qu'ils ont créée pour rendre les grenouilles colorées ET imprévisibles me serviront enfin.

Je vais tout simplement modifier le code génétique de la formule destinée aux amphibiens pour **ME TRANSFORMER, MOI !**

Je vais devenir Béa, une fille de 10 ans haute en couleur, imprévisible et peut-être même un brin rebelle !

Avec ma nouvelle personnalité, qui sait ? Peut-être qu'enfin je pourrai intégrer le groupe super sélect de Marika, Émylianne

et Laure-Lou, les trois filles
les plus populaires et les plus
chouettes de l'école, qui
n'ont même jamais levé
les yeux vers moi.

Avoir des amies super cool, une vie sociale bien remplie et des tonnes de projets fantastiques qui n'ont pas rapport avec les cours...

J'espère que mon expérience réussira ! Il le faut. C'est ce soir que je compte mettre mon plan à exécution...

À SUIVRE !

Chapitre 2

Des codes génétiquement sympathiques !

Ça fait presque une heure que mes parents ont quitté la maison pour la soirée, et il est temps de mettre mon plan à exécution. J'y pense depuis assez longtemps sans oser :

MAINTENANT,

IL FAUT PASSER À L'ACTE !

J'ai plein de temps devant
moi, car ma mère et
mon père sont partis
à **UN GALA** de remise
de prix pour les meilleures
découvertes scientifiques
de l'année.

Ils vont certainement rentrer
très, très tard. Je le sais,
ce n'est pas la première fois
que mes parents assistent
à ce genre d'événement.

C'est notre voisine,
madame Simon, qui est
chargée de me surveiller.

Madame Simon a 79 ans.
Elle adore les chats,
les téléromans et les tisanes.
Dès son arrivée, comme
je suis la jeune fille la plus
serviable du monde entier,
je lui en ai préparé une,
une tisane.

Une camomille relaxante, additionnée d'un ingrédient que j'ai trouvé dans le laboratoire familial et qui sert à détendre **LES GRENOUILLES-COBAYES** quand elles sont trop excitées.

Madame Simon devrait tomber rapidement endormie, et j'aurai le champ libre pour passer aux choses sérieuses ! Tandis qu'elle s'installe confortablement sur notre divan de cuir noir, je lui tends la boisson chaude et lui dis :

— Merci, ma belle Béatrice. Toujours aussi gentille, serviable et prévenante, me répond-elle en prenant la première gorgée de sa boisson relaxante.

En moins de 47 secondes, ma mixture somnifère agit comme prévu. Madame Simon, à qui j'ai retiré la tasse des mains afin d'éviter un dégât, dort paisiblement en ronflotant. Je dépose une couverture pelucheuse sur ses épaules et **HOP** !

Je suis maintenant libre
de procéder à mes petites
expériences.

OH QUE OUI!

Je n'ai besoin que de
quelques instants pour
déverrouiller l'ordinateur
ultra-puissant de mon père.
TROP FACILE!

Il faut dire que mon papa
n'est pas très imaginatif
quand il s'agit de choisir
ses mots de passe.

Après avoir essayé
« Béatrice1234 » et « Béatrice »
tout court, j'ai tout de suite
pensé à « Béatrice10 », qui
est celui qu'utilise ma mère.

Ils sont presque pareils
tous les deux : deux cerveaux
géniaux qui ne pensent pas
à choisir des mots de passe
difficiles à pirater !

Bon, il faut dire que comme
ils ne remettent jamais
mon obéissance en question,
EH BIEN, ils ne se
douteraient pas une seconde
que je puisse tenter
d'accéder à leurs fichiers
secrets.

Je suis bien dans
notre laboratoire.

Les **COASSEMENTS** de nos grenouilles m'encouragent. Je suis certaine qu'elles me comprennent et qu'elles feraient la même chose que moi si elles avaient le choix. Avant d'atterrir ici, elles n'étaient que de vulgaires grenouilles vertes qui pataugeaient dans un étang. Maintenant, elles sont toutes plus extraordinaires les unes que les autres !

CLIC ! Dossier Formule grenouille.

$$x = \frac{-b \pm (b^2 - 4ac)}{2a}$$

En fin de compte, ce ne sera peut-être pas si facile que ça, me dis-je.

Les chiffres et les symboles dansent devant mes yeux.

Ça me semble un peu plus
ardu que ce à quoi
je m'attendais. Modifier
la formule pour l'adapter
aux êtres humains me
demandera plus de temps
que prévu.

Malheureusement, je n'ai
pas des jours devant moi :
mes parents seront
de retour vers minuit,
et je n'ai pas le droit de
« jouer » seule dans le labo !

Peut-être que je devrais
texter Émile ? Après tout,

c'est l'élève le plus fort dans nos cours de sciences. En fait, nous nous disputons la première place au sommet des classements scolaires, mais je dois avouer, en tant que personne parfaitement honnête, qu'il est un brin meilleur que moi.

OK, **D'ACCORD**, il est de 2,3479 % meilleur que moi, très précisément.

Béatrice

Bonsoir Émile, j'espère que tu vas bien. Je ne te dérange pas, au moins? J'aimerais avoir ton avis sur une formule mathématique complexe à laquelle je travaille. Si tu pouvais me répondre rapidement, je l'apprécierais vraiment. Merci. Béatrice

Tu vois comment je suis nulle? Même un simple texto, pour moi, doit être

grammaticalement parfait.
Je suis incapable de faire
comme tout le monde et
de parsemer mes messages
de tonnes d'émojis
ou d'abréviations.

J'ai hâte de cesser d'être
moi-même pour devenir
un peu plus comme les autres.

ET SURTOUT, SURTOUT, J'AI HÂTE D'ARRÊTER D'ÊTRE PARFAITE !

Oui, je t'écoute ?

Merci pour ta réponse, Émile. Accepterais-tu de venir chez moi ? Ça serait plus simple de travailler ensemble à résoudre ce problème, je crois.

Euh... Je suis en train de jouer à un super jeu d'échecs en ligne en ce moment. Ça ne peut pas attendre ? On pourrait s'en parler demain à la récré ?

Malheureusement non. Je suis désolée d'insister, mais ça m'aiderait beaucoup que tu viennes à la maison. De plus, tu pourras voir le laboratoire de mes parents...

LE LABO où ils ont créé la formule pour modifier les grenouilles ? WOUAOUH ! D'accord, j'arrive !

Merci beaucoup. Je t'attends. S'il te plaît, passe par la porte de côté. Madame Simon, ma gardienne, fait une sieste, et j'aimerais mieux ne pas la réveiller pour l'instant. Merci encore. Béatrice

Tu sais que tu n'es pas obligée de signer à la fin d'un texto, hein ?

Ah bon ? D'accord. Merci.

NON, je ne le savais pas. Je croyais que c'était plus correct de signer toute sa correspondance, même les textos, mais j'en prends note. Ça sera utile à ma nouvelle personnalité **REBELLE**.

Bien entendu, Émile sait où j'habite. Même si nous ne nous sommes jamais rendu visite, nous sommes presque voisins et nous prenons le même autobus scolaire.

Sa maison est aussi grande que la nôtre, mais elle ne cache pas de laboratoire secret.

Émile joue au golf avec son père le dimanche. Comme moi, il est un peu... en fait, il est parfaitement différent.

En moins de 10 minutes, il me rejoint, excité de voir notre laboratoire qui fait figure de légende dans le monde des *nerds*.

– **WOW !** Béatrice,
ton laboratoire est tout
simplement génial !
Vous gardez combien
de grenouilles ici ?
me demande-t-il, super
impressionné, en regardant
autour de lui.

Émile, c'est le type classique du bollé. Lunettes, vêtements sages (même sans son uniforme scolaire) et cheveux bruns aussi banals que les miens.

— Nous en avons un peu plus de **300**. En fait, pour être précise, il y a dans nos installations **317** grenouilles modifiées et **14** qui sont en voie de l'être. Mes parents aiment retravailler leur formule génétique pour l'améliorer.

Depuis que les gens achètent les grenouilles produites ici comme animaux domestiques, la compagnie qui emploie mes parents ne cesse de leur en demander de nouvelles variétés.

Tu vois celles qui sont dans
ce terrarium ?

Eh bien, mes parents ont
travaillé sur elles ces derniers
temps. Elles se comportent
maintenant comme des chiens.
De plus, ils leur ont fait
pousser un petit duvet tout
coloré pour qu'elles soient
douces au toucher. Elles sont
jolies, non ?

– **FANTASTIQUE !**
Je rêve d'avoir une de
ces grenouilles modifiées,
mais mes parents ne veulent
pas. Elles coûtent très cher,
je crois... et selon mon père,
si je veux quelque chose
d'aussi spécial, je dois
d'abord le mériter,
continue-t-il.

– Oui, je sais, elles sont
tellement recherchées !
Mais si tu m'aides et
si tes parents disent oui,
je pourrai t'en donner une
GRATUITEMENT !

Je m'installe devant
l'ordinateur de mon père
et j'explique brièvement
mon projet à Émile.
La formule mathématique
des grenouilles colorées
est complexe, et je suis
certaine qu'il pourra m'aider.

Tu sais, je ne suis
pas convaincu que
c'est une bonne
idée, Béatrice...

— Je ne pense pas que de modifier ton ADN pour être plus colorée et imprévisible soit le plan du siècle. Ça pourrait aussi avoir des conséquences désastreuses... Et si tu devenais **INCONTRÔLABLE**, comme certaines des grenouilles sur lesquelles tes parents ont fait des expériences ? me demande-t-il, les yeux ronds comme des billes derrière ses lunettes bleues à monture géante.

— Impossible. Je vais isoler la fonction zêta du X et la remplacer par un binôme entier avec une racine carrée de -3...

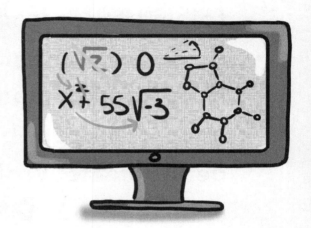

— Oui, je vois ce que tu veux dire. Le facteur de l'imprévisibilité sera PRESQUE contrôlé. Mais il reste **UN RISQUE**... À moins que le facteur Z de l'irrationalité de la racine du 2 soit remplacé par un zéro absolu...

LÀ, eh bien je crois que
la formule pourrait être
utilisée sur toi avec un plus
faible pourcentage
d'imprévisibilité...
Mais il reste quand même
une infime possibilité
de problème. Vraiment,
je ne crois pas **DU TOUT**
que tu devrais courir
ce risque...

Tout heureuse d'avoir mis
le doigt sur ce qui me
manquait pour que
la formule soit **PARFAITE**,
je m'écrie :

Émile me regarde d'un drôle d'air. On dirait qu'il n'est pas aussi heureux que moi d'avoir trouvé LA SOLUTION !

Mais quand même, Béatrice, ça reste risqué... Tes parents n'ont jamais testé leur formule sur des humains, non ?

Non, bien sûr
que non...
c'est interdit
par plein
de lois,
les tests sur
les êtres
humains.

Donc, je ne pense pas
que tu devrais être
le premier cobaye...
**C'EST
DANGEREUX !**

Bien sûr que c'est dangereux, mais ne voit-il pas à quel point je suis triste d'être toujours Mademoiselle Parfaite ? Je dois changer, et sans cette modification génétique, c'est impossible pour moi de faire autrement qu'être parfaite !

— Pense à ta grenouille, Émile ! Tu en veux une, non ? On a presque terminé, et je te jure sur la tête de tous les scientifiques du monde que **JAMAIS** je ne dirai à qui que ce soit

que tu as participé
à mon expérience... Dis-moi,
laquelle préfères-tu ?
Une de nos nouvelles
de type « chien
de compagnie »?
Tu sais qu'elles
rapportent
les balles et
font la belle ?
Sinon, il y a
la version qui fait
des bonds de plus
de 10 mètres
de haut ! Elles sont
vraiment chouettes
aussi. Et puis il y a...

Mon presque ami
m'interrompt :

– **HUMMM...** d'accord,
continuons, fait-il, l'air peu
convaincu malgré mes belles
promesses.

Pauvre Émile.
Bien sûr, je le manipule
en lui promettant
une de nos grenouilles,
surtout une
des dernières-nées
que personne
ne possède encore,
**MAIS JE N'AI
PAS LE CHOIX.**

Je veux plus que tout devenir
une nouvelle Béa : une fille
rebelle, jolie, populaire,
qui n'est pas qu'un simple rat

de laboratoire et qui est capable de faire des trucs **ULTRA-COOL** en oubliant d'être une petite fille modèle.

— Remettons-nous au travail !

Chapitre 3

Génétiquement sympathique !

OUF ! Il est un peu plus de 11 heures quand Émile part de chez moi. Heureusement que nous sommes samedi, car je suis épuisée. Mon cerveau est comme de la compote de pommes mortes !

JE N'ARRIVE PRESQUE PLUS À RÉFLÉCHIR.

Tout s'est déroulé
à merveille, et mes parents
ne sont pas encore rentrés.
Madame Simon, elle,
est toujours endormie.
J'ai peut-être exagéré
la dose de boisson
calmante...

Même ici, dans le labo
familial qui se trouve
à l'autre bout de la maison,
j'entends ses ronflements.
On dirait **UN OURS**
des cavernes.

Je me demande comment
une si petite dame peut
ronfler aussi fort !

Émile et moi avons essayé
un peu plus de 47 formules
toutes plus complexes
les unes que les autres,
et je crois que nous avons
trouvé la bonne, celle qui me
permettra de devenir
UNE BÉA IMPARFAITE.

J'ai mis en marche
notre machine à potions, qui
transformera notre formule
en liquide incolore, inodore et
probablement dégoûtant que
je compte bien boire demain
matin à la première heure.

Je pense que ce serait quand même mieux de ne pas le faire sans que mes parents soient présents, pour le cas (**IMPROBABLE**) où ça tournerait mal.

Je ne pourrais pas, par exemple, me transformer en grenouille, hein ? IMPOSSIBLE !

Je sais qu'Émile et moi, on a tout calculé à la perfection. Il n'y aura pas d'erreur.

En moins de deux, malgré ma fatigue, je range le labo.

Quand je quitte la pièce, tout est propre, comme si je n'y avais pas mené d'expériences extraordinaires, et j'ai **MON ÉLIXIR** parfaitement imparfait !

Je suis exténuée. Aussi bien aller faire comme madame Simon. Demain sera un grand jour pour moi !

* * *

Dès que j'ouvre les yeux, je me sens tout excitée.

J'étais éreintée, et mon sommeil n'a pas été des plus reposants.

J'ai rêvé que je me transformais en grenouille (évidemment), puis en rockeuse, et enfin en grenouille qui faisait du ROCK et qui chantait en coassant !

INCROYABLE.

Rien de tout ça n'arrivera,
c'est certain, mais quand
même.

La petite fiole de potion
qui devrait modifier
MON ADN est bien
en sécurité dans la poche
de mon pyjama, et je compte
la verser discrètement
dans mes céréales.

Trois heures plus tard,
je devrais commencer
à voir les premiers effets
de ma transformation !

— Bonjour, ma chérie !
DEVINE QUOI ?
On a remporté le Grand Prix
des sciences hier ! me dit
maman, euphorique,
alors que j'entre dans
la cuisine avec un air
qui est tout sauf matinal.

Même si ma nuit a été
mouvementée, aucun
de mes cheveux bruns,
lisses et parfaits ne semble
ébouriffé. Même mon haleine
sent bon le matin tellement
je suis parfaite ! **C'EST
TOUT DIRE.**

— Bonjour ! J'étais certaine
que vous gagneriez, maman,
vous êtes les meilleurs !
Mais... qu'est-ce qui se
passe ? Pourquoi est-ce qu'il
y a des valises partout ?

C'est le chaos ici, on dirait qu'on déménage. La cuisine est remplie de grosses valises et de terrariums de voyage. Plusieurs de nos plus belles grenouilles y sont enfermées et **COASSENT** gaiement.

— Eh bien, tu vois, nous avons été invités hier par un des plus grands laboratoires du monde. Nous partons pour la Chine, papa et moi, dans moins de deux heures... Il s'agit d'un tout petit séjour de rien du tout, ma chérie.

Seulement sept jours.
Ça passera vite pour toi.
Madame Simon a accepté,
comme d'habitude,
de prendre soin de toi.
Elle a dit :

Évidemment que
je vais la garder,
Béatrice est toujours
tellement sage.
C'est une enfant
parfaite !

— Je suis bien d'accord avec elle... Tu n'es pas trop triste, j'espère ? On t'aurait bien emmenée avec nous, mais tu manquerais de l'école, et ce voyage sera épuisant... Tu comprends ?

Bien sûr que je suis triste, mais je suis aussi **TRÈS HABITUÉE**.

Mes parents sont souvent, très souvent absents. Ils ont des carrières importantes, et même si j'ai toujours l'impression de passer en second, je serais incapable de le leur reprocher ou de faire **DES CRISES** comme j'ai déjà vu d'autres enfants en faire.

Il est grand temps
que ma situation change,
tu vois. Avec ma potion,
eh bien, je vais enfin être
une Béa populaire.
Et puis si je deviens
l'amie de Marika,
Émylianne et Laure-Lou,
j'aurai **PLEIN** d'activités
à faire, ce qui comblera
peut-être un peu
mon sentiment
de solitude !

Des activités, elles en font des tonnes toutes les trois : magasinage, fêtes, patin à roues alignées, etc.

Dès que je mets le nez dehors, je les croise en train de s'amuser. **ELLES ONT L'AIR TELLEMENT COOL !**

— C'est correct, maman,
je comprends. Votre travail
est très important, et j'aime
bien madame Simon.
C'est un peu comme
ma grand-mère adoptive.

Bien sûr, maman ne
s'attendait pas à autre chose
de ma part. **BÉATRICE
LA PARFAITE** ne dirait
jamais rien qui puisse
ressembler à une critique
ou qui puisse blesser
quelqu'un, même si au bout
du compte, c'est elle-même
qui est triste.

En plus, si je suis
parfaitement honnête,
l'absence de mes parents
me laissera le champ
libre pour
ma transformation.

En douce, sans que ma mère
s'en aperçoive, tout
occupée qu'elle est à faire
des allers-retours entre
le labo et la cuisine,
je glisse ma potion dans
mon bol de céréales.

Puis, j'avale le tout jusqu'à
la dernière goutte en me
croisant fort les doigts
pour que tout se passe bien !

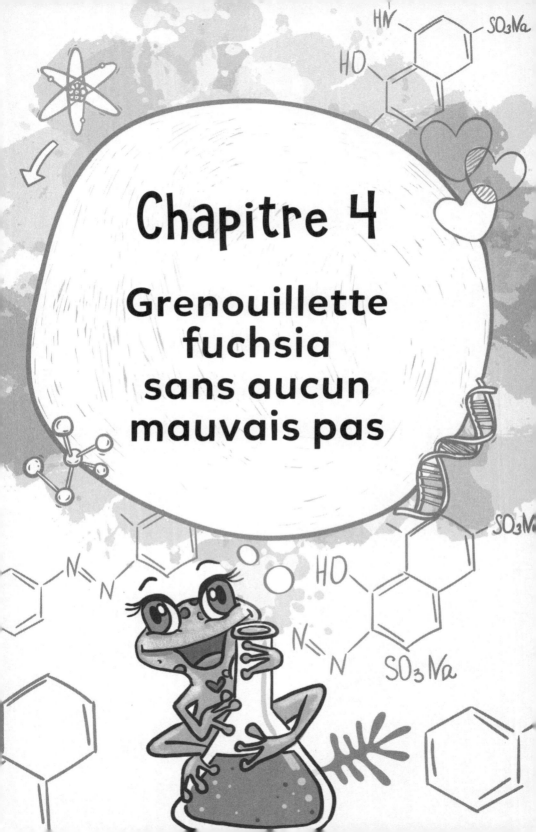

Chapitre 4

Grenouillette fuchsia sans aucun mauvais pas

Je suis en RETARD !!!!!

TROP *CHILL*! Pour
la première fois de ma vie,
j'ai manqué mon bus.
Il est 8 h 47 passé,
en ce **MAGNIFIQUE**
mardi matin, lorsque
la grosse voiture vert
bouteille de madame Simon
me dépose devant la cour
de mon école.

JE N'ARRIVE PAS À Y CROIRE !

Je pense que la plupart des gens ne me reconnaîtront pas. Jusqu'à ce matin, soit plus de 48 heures après que j'aie bu ma potion, il ne **S'ÉTAIT RIEN PASSÉ**, puis en me levant... **BOOOOOOUMAAAA!!!!** C'était fait !

Cheveux FUCHSIA...
Air coquin et taches
de rousseur sur le nez
(multicolores, en plus !).

J'ai eu peine à croire que c'était vraiment moi, alors que je me brossais les dents devant le miroir en m'examinant sous toutes les coutures. Et c'est sans parler du drôle de fourmillement qui palpite au creux de mon estomac, comme si j'étais prête à **EXPLOSER** !

ON DIRAIT QUE MES SENS SONT EN FEU !

Jamais je ne me suis sentie
aussi bien de toute ma vie.

Mon problème ce matin ?
Changer de look
vestimentaire pour aller
avec mes nouveaux cheveux.
Un projet quasi impossible
quand on fréquente
une école privée avec
uniforme.

Heureusement, la nouvelle moi semble déborder d'imagination. Je me suis donc débrouillée pour améliorer mon look.

J'ai pris un **ÉNORME** foulard vert fluo que j'ai trouvé dans un de mes anciens coffres de déguisements, j'ai fait quatre trous géants

dans mon collant marine
et j'ai mis les boucles
d'oreilles en forme de cœurs
dorés que ma marraine
m'a données pour ma fête,
mais que je n'avais jamais
portées jusqu'à maintenant
parce que je les trouvais
trop grosses.

Je me sens bien,
**JE ME SENS...
MOI !**

Comme une version plus
chouette et améliorée
de ce que je suis vraiment.

Dès que je mets le pied
dans la classe, 22 têtes
ahuries se tournent vers moi.
ÉVIDEMMENT !
Mes cheveux ne passent pas
inaperçus. Ils sont de
la couleur d'une boule
de gomme... hyperactive !

— Vous êtes ? me demande
madame Mallette, ma prof,
qui n'a pas l'air de me
reconnaître.

Il faut dire que je suis un tantinet plus... **TOUT** que l'ancienne Béatrice fade et édulcorée.

Euh... c'est moi, Béa. Je veux dire Béatrice ? Robichaud ?

En sautillant, tout excitée, je gagne mon pupitre habituel. Personne ne suit la consigne de madame Mallette.

Toutes les paires d'yeux des élèves de ma classe me dévisagent comme si j'étais une grenouille ! J'ai presque envie de lâcher

UN WEE-BEEEP,

question de bien souligner le truc.

Émile, lui, a la bouche grande ouverte. Je me dis que même s'il m'a assistée, il n'y croyait peut-être pas tant que ça, à ma modification génétique. Ou alors, il pensait qu'on n'était pas assez top pour y arriver !

Je lui fais un petit signe avec le pouce en l'air pour lui faire comprendre que tout va bien, mais il ne referme pas sa bouche pour autant. Pauvre lui, **C'EST UN CHOC, J'IMAGINE !**

J'ai à peine posé mes fesses sur ma chaise et défait mon sac à dos que je reçois, de la part d'Alexis qui est devant moi, un petit papier plié en quatre :

TROP COOL, tes cheveux !

J'espère que la direction ne dira rien.

Je voulais me faire faire une petite mèche mauve, mais dans le règlement, ça dit qu'on peut être expulsé pour ça.

Tu as l'air vraiment différente !

Veux-tu passer la récré avec nous ?

Et, surprise ! La note
est signée de Marika
ELLE-MÊME !!! Et elle
veut que je passe la récré
avec elle et ses amies ?

On peut dire que la nouvelle
Béa fait de l'effet !

Mais c'est vrai que
mes cheveux fuchsia et
mon look un peu rebelle sont
VRAIMENT COOL.

Discrètement, mais peut-être pas assez (vu que je n'ai pas l'habitude de ne pas être ultra-attentive en classe), j'écris à mon tour sur un petit carré de papier :

Merci !!! J'ai modifié mon ADN, comme mes parents le font avec les grenouilles.

C'est ma couleur de cheveux naturelle maintenant !

La direction ne peut rien faire contre ça.

Je vous raconte tout ça à la récré !

Béa

Alors que je plie le petit
papier de la même façon que
celui que j'ai reçu, la voix
un peu aiguë de madame
Mallette me fait sursauter.

Elle a l'air plutôt fâchée
et elle est tellement proche
de mon bureau que je sens
son parfum un brin...
DÉGOÛTANT !

On n'est pas
le 1er avril, pourtant...
ni le 31 octobre...
Mets-toi au travail
tout de suite, avant que
je doive te donner
une retenue...

Les autres,
on se retourne
et on FAIT
SES EXERCICES !

– D'accord, madame Valise...
Euh, je veux dire... madame
Mallette !

C'est vraiment sorti tout seul
de ma bouche. Je ne me suis
même pas doutée que
ça allait sortir, et je n'ai
même jamais eu l'intention
de dire ça...

C'est comme si ma bouche
avait parlé toute seule,
sans que mon cerveau ait
son mot à dire !

La classe au complet se met
à rire de bon cœur, après
la surprise initiale. Même moi,
je ne peux pas me retenir
de pouffer, malgré l'air
furieux de ma prof.

Je suis
dans la chnoute,
ça, c'est clair !

Ses yeux sont plissés
de colère, mais je n'ai pas
peur du tout. Au contraire,
le sentiment qui monte
en moi, c'est de l'euphorie !

J'ai réussi à faire rire
TOUTE ma classe,
et au lieu d'être inquiète
d'aller chez le directeur,
comme l'ancienne Béatrice
l'aurait été, eh bien,
je suis plutôt fière de moi
et excitée.

Pas la moindre petite miette
de culpabilité.

WOW, ÇA FAIT DU BIEN, ÇA !

Je me lève, je fais une petite pirouette sur moi-même pour faire virevolter ma jupette carreautée bleu et vert, puis, comme un coup de vent, je passe devant madame Valise, le sourire aux lèvres.

Le bureau du directeur n'est pas très loin de ma classe.

J'ai tellement d'énergie
tout à coup, c'est comme si
une boule de lave atomique
enflammait ma poitrine !
Je courrais si je le pouvais.

« Oh, mais je le peux,
pense automatiquement
mon nouveau cerveau
génétiquement modifié.
Qu'est-ce qui m'en empêche ?
Un règlement ?

PFFF !
JE TENTE
MA CHANCE ! »

Je m'élance, je fais une autre
pirouette sur moi-même
et je complète ma petite
chorégraphie improvisée
par une roue latérale.

Je ne savais même pas que
j'étais capable de faire ça,
moi, une roue latérale !
ET HOP ! En moins
de deux, je suis assise,
un peu essoufflée, dans
le bureau de notre directeur...

Puis, en moins de trois,
j'en ressors avec une note
à faire signer à mes parents.

C'est drôle :
je devais m'être fait
une idée plus grande
que nature de ce que
c'est, aller au bureau
du directeur, parce
qu'en fin de compte, bof...
Il n'y a rien de trop
inquiétant là-dedans
pour la nouvelle Béa !

Je n'ai pas jugé bon
d'informer le directeur,
monsieur Michaud, que
mes parents sont en voyage.
Je n'aurai qu'à imiter
leur signature, c'est aussi
simple que ça.

Mon nouvel ADN est
vraiment chouette, il me
permet de faire des choses
totalement inusitées et
d'imaginer des solutions que
JAMAIS je n'aurais osé

envisager, et encore moins
réaliser auparavant.

Heureusement que j'ai
toujours été ultra-sage,
m'a dit le directeur
de son ton trop paternel
pour être vraiment
intimidant, sinon j'aurais eu
(**APPAREMMENT**)
une grosse retenue.

Mais mon comportement
exemplaire passé a joué
en ma faveur, malgré
mes cheveux fuchsia.

Monsieur Michaud a levé
les yeux au ciel en apprenant
que mes parents m'avaient
un peu modifiée
GÉNÉTIQUEMENT
(petit mensonge de rien),
mais puisqu'il les considère
un peu comme des savants
fous, il n'a pas eu le choix
d'accepter ma nouvelle
chevelure couleur bonbon.
Mon mensonge a très bien
passé !

En rentrant dans la classe,
je provoque exactement
la **MÊME** réaction que

ce matin. Tout le monde me dévisage, mais cette fois-ci, plusieurs élèves me sourient.

La nouvelle Béa
fait tout un effet !
Je sens que je vais devenir
encore plus populaire
que je l'espérais.

La cloche qui annonce
la récré sonne quelques
minutes après mon retour.
Je n'ai pas vu la matinée
passer, je ne sais même pas
ce qu'ils ont fait en classe
et **JE M'EN FICHE !**

Super vite, dans la cour
d'école, je me retrouve
entourée de plein d'autres
élèves, mais ce sont les trois
filles dont j'ai toujours voulu
être l'amie qui retiennent
mon attention.

Ça faisait tellement longtemps que je souhaitais passer la récré avec elles plutôt qu'avec les élèves du club d'échecs ou à la bibliothèque, en train d'étudier toute seule !

— Je n'ai pas pu te renvoyer le message, désolée ! Madame Valise l'a intercepté.

Madame **VALISE**, LOL. J'ai failli m'étouffer de rire ! Pas grave pour la note. Tu n'es pas encore aussi habituée que nous.

Quand on ne peut pas
se texter en classe,
c'est **NOTRE** moyen
de communication,
comme dans l'ancien temps,
quand il y avait encore
des dinosaures, ou presque.
Il faut que je te le dise
encore : tu as tellement
changé, Béatrice !
C'est incroyable !

— Appelle-moi Béa ! C'est,
euh... une petite expérience
que j'ai faite dans le labo
avec mes parents (aussi bien
raconter le même mensonge

partout, comme ça, je ne m'emmêlerai pas dans mes histoires)... Mes cheveux vont rester fuchsia pour toujours, vu que mon ADN est modifié.

– **TROP COOL !** s'exclament mes trois nouvelles amies en riant.

– J'aimerais ça que mes parents soient aussi chouettes que les tiens ! me dit Laure-Lou en tripotant sa longue chevelure noire et brillante. Aucune chance que ça m'arrive !

JE ME SENS TELLEMENT BIEN !

La conversation est super facile, pas de moments « **CHELOUS** », comme avec l'ancienne Béatrice. On dirait que j'ai maintenant ma vraie personnalité.

Je jase de tout et de rien avec mes compagnes pendant quelques minutes, le temps qu'on se découvre quelques points en commun

et qu'on planifie une sortie
en *LONGBOARD* au retour
de l'école. Je n'ai pas de
longboard.

Il faut dire que les sports,
les roues latérales et
la planche à roulettes n'ont
jamais vraiment fait partie
de mes activités préférées.

Mais Émylianne va me prêter celui de sa sœur pour que j'apprenne. Avec mes nouvelles habiletés génétiques, nul doute que je serai super bonne !

– Tu as vraiment traité madame Mallette de « madame Valise » ? **OUF !** Tu es vraiment *game* ! me dit Chloé, une fille qui ne m'a jamais parlé avant, mais qui se tient près de notre quatuor depuis le début de la récré, impressionnée par tout ce que je raconte.

Dans ma tête,
je l'appelle comme ça
depuis le début de l'année,
et là, OUPS...
c'est sorti tout seul,
je n'ai pas pu
l'empêcher !

C'est drôle,
tu as toujours été
tellement...
réservée, avant.
Et... sans vouloir
être blessante...
trop parfaite !

— Non, non, je sais, même moi, je me trouvais **TROP** parfaite et je m'énervais...

Mes paroles provoquent un nouvel éclat de rire de la part de mon nouveau *team* d'amies.

— Peut-être que la formule secrète de tes parents a modifié plus que ton apparence ? avance Marika, perspicace.

Je lui réponds, tout en tournant sur moi-même une nouvelle fois :

— Peut-être ! Sûrement, même. JE ME SENS différente ! Et les grenouilles que mes parents ont l'habitude de modifier dans leur labo, eh bien, elles changent de personnalité elles aussi. Elles deviennent toujours plus enjouées et plus exubérantes qu'avant.

La cloche qui nous rappelle en classe comme de petits moutons bien sages sonne

trop vite à mon goût,
mais aussitôt, Marika
me prend la main.

OH ! Elle a un super beau
vernis à ongles vert et brillant !
Je ne sais pas pourquoi, mais
j'adore le vert maintenant.
On dirait que c'est devenu
la plus belle couleur
du monde à mes yeux !

— Tu dînes avec nous, hein,
Béa ? me demande-t-elle,
de bonne humeur.

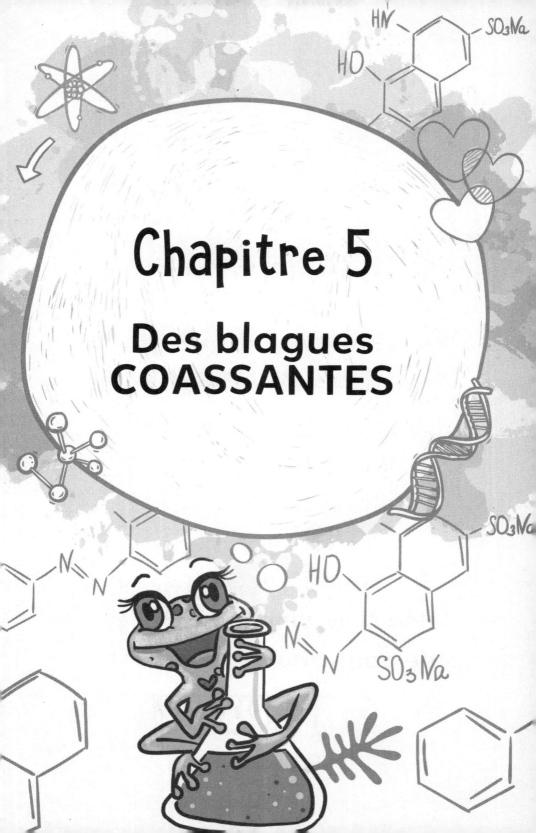

Chapitre 5

Des blagues
COASSANTES

Dès qu'on met les pieds
dans notre classe
le lendemain matin,
des exclamations étonnées
fusent de partout.

En effet, notre classe a
une apparence bien étran...
Quelqu'un a retourné
tous les pupitres vers
les fenêtres, de telle sorte
qu'ils font maintenant dos
au bureau de madame
Mallette. Je me demande
bien qui est derrière ça.

JE BLAGUE ! C'est moi,
évidemment !

C'est un petit tour inoffensif
que j'ai imaginé pour faire
rire mes camarades.

C'est réussi ! Après le choc
initial, tout le monde
s'est empressé de s'asseoir
dos au tableau en rigolant.

Je me tourne vers Marika,
qui s'assoit désormais
à côté de moi dans la classe,
et je lui dis :

— J'espère que madame
Valise trouvera ça drôle !

— C'est toi, Béatrice, je veux dire Béa, qui a fait ça ? me demande ma nouvelle amie, impressionnée.

— Bien sûr ! C'est drôle, non ? !

— Vraiment ! me répond ma nouvelle amie, un sourire aux lèvres. J'ai hâte de voir sa réaction, **TU ES VRAIMENT GAME!**

— J'ai eu cette idée hier, pendant qu'on faisait du *longboard* avec Émy et Laure-Lou. J'ai tellement aimé ça, ce sport ! Ça te tente qu'on en refasse ce soir ?

– Oui, **OK CHUT** !
La prof arrive !

Bien entendu, comme nous
faisons tous dos à la porte
(sauf Émile, qui a retourné
son pupitre dans le bon sens
tout de suite après avoir vu
ma petite mise en scène),
on ne peut qu'entendre
les pas de madame Valise.

Ils s'arrêtent net dès
qu'elle franchit la porte
de la classe.

Elle n'a pas l'air de la trouver
si bonne que ça, ma blague,
si je me fie à son ton furieux.

Maintenant que nos bureaux
lui font face comme
d'habitude, elle nous regarde
un par un sans dire un mot.

Pour une raison obscure,
ses yeux s'attardent
un instant dans les miens,
que je n'ai pas baissés.

Tout le monde me regarde
du coin de l'œil.

— Béatrice, j'aimerais
te parler après les cours.
Je vais demander
à la direction de dire
à tes parents de venir te
chercher un peu plus tard.

Je m'empresse de lui
répondre, en me reprenant
juste à temps :

— Mais… madame Va…, madame Mallette, ce n'est pas moi !

JAMAIS de toute ma vie je n'ai menti à un adulte.

J'attends avec impatience le sentiment de culpabilité qui devrait normalement me submerger. Mais… RIEN ! C'est presque inquiétant d'être aussi effrontée !

— OUI, c'est toi… Désolé, mais ne mens pas…

C'est Émile qui me dénonce
comme ça, sans aucune
raison. Et dire que
je le prenais pour
mon presque ami.

Béatrice, ou Béa,
comme tu veux,
je viens de t'entendre
t'en vanter à Marika.
À peu près
toute la classe
t'a d'ailleurs entendue,
je crois.
Si tu veux agir
comme une rebelle,
assume-le,
au moins.

Belle trahison, ça !
Et dire qu'il m'a aidée
à modifier mon ADN !

— Merci, Émile, dit la prof
à mon ancien ami pendant
que je le fusille du regard.
Comme je te le disais,
Béatrice, on se parlera
tout à l'heure. Là, on a assez
perdu de temps. On doit
entamer la révision

pour les examens de fin
d'année qui s'en viennent.
Je ne tolérerai plus
de chaos dans ma classe.
SORTEZ VOS CAHIERS
de mathématiques tout
de suite. Merci.

ET ZUT!!!!! Je suis
peut-être allée trop loin, là ?

* * *

En moins de deux jours,
je pense que je suis devenue
la personne la plus populaire
de toute l'Académie
primaire De-la-Berge.

Même des grands de sixième
sont venus me voir à la récré
de l'après-midi pour discuter
de ma petite blague
matinale.

La nouvelle Béa, en fait
la **VRAIE** Béa, devrais-je
dire, est vraiment
très recherchée !

Mais je ne laisse pas ça
me monter à la tête.
Je voulais faire partie
de la bande de Marika,
Émy et Laure-Lou, et je pense
qu'elles m'ont adoptée
pour toujours !

À mes yeux,
mon expérience
scientifique est donc
un grand succès.

Comme monsieur Michaud
n'a pas réussi à joindre
mes parents, j'ai dû lui parler
de leur départ imprévu
pour la Chine (et du même
coup, avouer ma supercherie
en ce qui concerne
la signature parentale
que j'ai imitée).

Madame Simon,
qui est un peu dure
de la feuille, n'a pas
répondu à l'appel
téléphonique
du directeur.

Il faut préciser
que je lui ai
préparé
un gros pichet
de tisane
relaxante,
si bien que depuis quelques
jours, elle n'est jamais
réveillée à 100 %.

Bref... ma prof et le directeur
ont convenu de reporter
notre discussion et
ses conséquences jusqu'au
retour de mes parents.

J'ai eu droit à un **TRÈS
LOOOOOONG** discours
trop adulte et ennuyant
de la part du directeur,
à la suite duquel je me suis
engagée à être un peu plus
sage (et aussi à rédiger
un texte sur le respect
des règlements).

La rencontre m'a semblé
durer 159 ans.

J'AI HÂTE D'ALLER REJOINDRE MES AMIES !

Quand j'arrive à la maison
ce jour-là, madame Simon
somnole devant
son téléroman préféré.

Trop facile... j'ai maintenant
la soirée toute à moi !

En franchissant la porte d'entrée pour aller au parc rejoindre mes nouvelles copines, j'entends la voix endormie de ma gardienne qui parle dans son sommeil :

Doooooodo, fais dodo... L'enfant dormira bientôt !

Elle se chante une berceuse.
C'est trop chou !

Même si j'abuse un peu
de la potion relaxante
avec elle ces jours-ci,

je me dis que bah, au pire, elle va être ULTRA-REPOSÉE au retour de mes parents ! **LOL !**

Salut, les filles !

Laure-Lou fait éclater
une énorme bulle de gomme
bleue avec un petit POP !

Des trois, c'est celle qui ressemble le plus à l'ancienne Béatrice.

Un peu timide et toujours douce et gentille, mais quand même beaucoup plus confiante et stylée que je ne l'ai jamais été avant ma transformation...

Elle porte des petites boucles d'oreilles brillantes en forme de cœurs elle aussi, mais dessus, il y a des petits pois brillants, c'est vraiment chouette.

Son chandail pelucheux semble super doux. J'aimerais bien avoir autant de style qu'elle !

Mes parents sont en Chine pour une conférence scientifique et ma gardienne est super vieille, alors, elle dort tout le temps.

Regardez,
j'ai apporté Lili,
une de nos nouvelles
grenouilles **WOUF !**
Dis coucou
à mes nouvelles amies,
Lili !

– **WEEEE-BIPPPPPP, WOUF WOUF!** répond tout de suite Lili, qui s'est perchée sur mon épaule en sortant de ma poche. Elle est adorable, avec son petit collier à piquants dorés !

– OHHHHH! ELLE EST TROP MIGNONNE!

Je peux la prendre?
demande Émy, super excitée.
Je n'en ai jamais vu en vrai,
juste dans des magazines.
Lolita Star, la grande
vedette internationale,
se fait toujours surprendre
par les paparazzis avec
des grenouilles de différentes
couleurs. J'aimerais
tellement ça, moi aussi,
en avoir une, une comme Lili!

Émy a raison, Lili est
très mignonne.

Quand Émile et moi avons
modifié la formule génétique
de ma potion, je me suis
basée sur ses données
à elle pour **MON FUTUR
LOOK**.

Elle a un petit duvet soyeux
exactement de la même
couleur que mes cheveux,
et des taches de rousseur
multicolores comme
les miennes ornent son petit
museau retroussé...

Dès la minute où mon amie
prend la grenouille dans
ses mains, je sais
qu'une histoire d'amour vient
de naître. Au retour
de mes parents, je vais
leur demander la permission
de l'offrir à Émy...
Et d'en trouver une
pour chacune des autres
filles aussi. Ah oui,
et une pour Émile
(le traître),
c'est vrai.
Je le lui
ai promis.

Impatiente de bouger,
je demande à mes nouvelles
amies :

– On s'en va au *skatepark*
comme prévu ?

– Ouiiii !

Je m'élance à toute allure
sur la planche que j'ai encore
une fois empruntée
à une des filles.

Chapitre 6

Une collation bien méritée

Heureusement que j'ai mis mon nouveau coupe-vent vert fluo, que j'ai commandé en ligne il y a quelques jours !

Il va super bien avec mes cheveux fuchsia, et en plus, il est ultra-confortable.

L'air de
cette fin
de journée est
plutôt frais,
même si on a
un mois d'avril
super, super chaud.

Les moustiques
sont déjà sortis
et bourdonnent
autour de nous
sous les lampadaires.

C'est un des désavantages
de ce mois d'avril idyllique
en termes de chaleur...

Lili la grenouille s'en donne
à cœur joie et, sous
les regards ébahis de tous
les gens présents, elle gobe
les insectes les uns après
les autres, comme si
son estomac n'avait pas
de fond.

Son duvet mauve fait fureur,
bien sûr, et elle devient vite
la petite vedette du parc.
Tout le monde veut lui lancer
la balle ou lui faire faire
des tours comme à un chien.
**SES TALENTS
NE PASSENT PAS
INAPERÇUS !**

Je m'assois avec mes trois
amies tout en haut
de la rampe de planche
à roulettes.

Dire que jusqu'à hier,
je n'étais jamais venue ici...

OK, bien sûr, j'étais déjà
venue au parc, dans
la section des balançoires
par exemple, mais jamais
dans le *skatepark*, qui est
généralement fréquenté
par des gens plus populaires
que la fille que j'étais !

J'aurais dû m'apporter
une petite collation.
Mon ventre n'arrête pas
de gargouiller...
J'ai tellement faim !

Il faut dire que madame Simon s'est endormie bien avant d'avoir la chance de me faire à souper et que je n'ai avalé qu'un minuscule sandwich au jambon de rien du tout avant de courir rejoindre ma nouvelle gang.

Après ma rencontre super
sérieuse avec ma prof
et le directeur, disons que
je n'avais pas beaucoup
de temps pour manger,
pressée comme je l'étais
d'aller retrouver mes amies.

Je regarde Lili qui se
promène partout en avalant
toutes les mouches et les
autres bestioles qui lui
semblent comestibles,
et je me sens un peu
envieuse.

Elle est chanceuse
d'avoir des collations
à portée de main
en tout temps, elle.

Mon estomac gronde de plus belle en la voyant avaler une énorme bibitte à l'air un peu visqueux pendant que mes nouvelles amies discutent d'un party de films où je ne suis pas allée (dans le temps où j'étais encore Béatrice).

ÇA A L'AIR VRAIMENT COOL, À LES ENTENDRE !

J'aurais vraiment dû modifier mon ADN plus tôt. Dire que j'ai perdu presque 10 ans de ma vie à être trop sage et un peu rejet...

Soudain, une idée de génie fait **BOUMA** dans ma tête.

Je m'écrie :

— Les **WEEEE-BEEP** !

(Mais qu'est-ce que
c'est que ce coassement
louche qui vient de sortir
de ma bouche ? On aurait dit
Lili, mais elle est bien
trop loin, et puis JE SAIS
que c'est moi qui ai fait
ce son-là, il a un peu gratté
dans ma gorge en sortant.
Comme si ce n'était pas
habituel pour moi d'émettre
un bruit de grenouille.)

Weeee-beep!

Je reprends (sans coassement cette fois ; heureusement, elles ne semblent pas avoir entendu le premier !) :

Les filles, je vais organiser un party, moi aussi ! Vendredi !

Ça vous tente de m'aider ?

– Oh, vraiment ? **ÇA SERAIT FOU !**... Mais est-ce que madame Simon va dire oui ? demande Marika, toujours partante pour se lancer dans un nouveau projet.

– C'est sûr ! Je m'arrange avec elle, ne vous en faites pas ! On pourrait inviter les gens de la classe, **MAIS PAS ÉMILE**, surtout, l'espèce de traître...

Je lui réponds en riant :

Et on se lance aussitôt
dans une discussion
enflammée... sur laquelle
je dois **VRAIMENT**
me concentrer, étant donné
que, pour une raison
que je ne comprends pas,
ma gorge a encore envie
de coasser. Comme si elle
avait aimé émettre le son
bizarre de tout à l'heure...

19 h 45 s'affiche en gros
chiffres rouges sur le tableau
scintillant du parc.

L'heure du couvre-feu
des filles arrive beaucoup
trop vite à mon nouveau
goût, surtout qu'on n'a pas
fini de planifier le party
qui enthousiasme
toutes mes amies.

Il faut dire que depuis que je suis Béa, j'ai plus de mal à me lever tôt qu'à me coucher tard...

On dirait que j'aimerais mieux veiller ultra-tard et me réveiller à midi tous les jours. C'est un autre des petits changements qui se sont opérés en moi et qui me rappellent à quel point l'**ANCIENNE BÉATRICE** était à côté de la plaque.

Comme ma maison
est la plus proche du parc,
mes trois amies me suivent
en *longboard*. Elles vont
continuer ensuite
vers leurs propres maisons,
qui sont dans des quartiers
un peu moins en vogue
que le mien.

La meilleure,
c'est Marika,
mais je suis certaine
qu'avec ma super vision,

mon agilité d'amphibien
et mes nouvelles
habiletés sportives,
je la rejoindrai bien vite.
TROP COOL !
J'adore
cette sensation.

Marika et moi, on s'arrête devant ma maison, bien en avance sur les deux autres. Elle me fait un **SUPER** sourire, le pouce en l'air.

— Tu t'améliores vite, toi ! me dit-elle en rattachant sa queue de cheval brune tout ébouriffée par le vent.

MERCI !

Je suis contente d'être devenue ton amie, Béa. Je ne t'imaginais pas comme ça ! Sans blague, tu es vraiment rigolote.

Je lui serre la main tellement son commentaire me fait plaisir et je lui dis :

Moi aussi, je suis vraiment contente !

C'est drôle comme la main de Marika me semble chaude, alors que la mienne est **TOTALEMENT** glacée dans la sienne...

BIZARRE !

La lumière de mon salon est allumée, mais sinon, rien ne semble avoir bougé depuis mon départ.

Madame Simon dort sûrement encore, sinon, elle se serait inquiétée !

Décidément, je suis devenue un **AS** de la désobéissance.

Émy arrive au bout de plusieurs minutes,

tout essoufflée, suivie
de Laure-Lou qui a le visage
rougi par l'effort.

— Vous êtes rapides,
les filles ! **WOW**,
tu es vraiment devenue
bonne très vite, Béa !
AH OUI, tu peux garder
la planche de ma sœur,
en passant. J'ai demandé
à ma mère, et c'est correct,
ma sœur ne s'en sert
JA-MAIS, me dit
ma nouvelle amie.

— **WOW !** Merci beaucoup !

Je suis
tout émue. C'est
vraiment le fun d'avoir
enfin des amies. Je me
sens tellement bien
en leur compagnie !

Lili a fait le voyage du retour
sur l'épaule d'Émylianne,
et celle-ci ne semble pas
pressée de se départir
de la petite bête.

PAUVRE ELLE !

Je la comprends. Même si j'essaie de ne pas trop m'attacher aux grenouilles de notre laboratoire, étant donné qu'elles sont destinées à la compagnie où travaillent mes parents, je trouve ça **DIFFICILE**, parfois, de les laisser partir.

Certaines sont plus chouettes que d'autres, et je voudrais les garder toute la vie.

Par contre, le bon côté
de tout ça, c'est que
j'ai toujours les plus récentes,
les nouveaux modèles...

J'ai envie d'avouer à Émy
que je compte lui offrir Lili
en cadeau dès que
j'aurai l'**APPROBATION**
de mes parents, mais
mon désir de préserver
la surprise l'emporte.

Au moins, je peux essayer
de la consoler en lui disant :

— C'est toi qui as fait ça,
Béa, ou c'est Lili ? demande
Laure-Lou en me regardant,
les sourcils relevés.

Hummmm, je crois
que c'est moi !
HA ! HA ! HA !!!
C'est une blague.
Je vis depuis tellement
longtemps avec
des grenouilles
que je parle presque
comme elles,
n'est-ce pas, ma Lili ?

Wouf, wouf !

LOL ! Heureusement, les trois filles éclatent de rire et ne me posent pas d'autres questions sur mon explication farfelue. **OUF !** Il était moins une. N'empêche que je sens le regard moins convaincu de Laure-Lou peser sur moi...

Je consulte ma montre,
un peu intimidée. Mes amies
y voient le signal du départ.

– Super ! À demain, Béa !
dit Marika.

– À demain !

Je croise mes bras
sur ma poitrine
pour me rassurer...
SÉRIEUX ! C'était
vraiment gênant. J'espère
que ce n'est qu'un tout petit,
petit effet secondaire

lié à la potion que j'ai bue,
et que ça disparaîtra vite...

Évidemment,
je ne pouvais
pas confier
mes inquiétudes
à mes nouvelles
amies...
Qu'est-ce
qu'elles auraient
dit, et surtout,
qu'est-ce qu'elles auraient
pensé en apprenant
que je coasse une fois
de temps en temps ?

Impossible de leur raconter ça. Elles me trouveraient bizarre, c'est certain.
Après tout, notre amitié est encore tellement récente...

Je m'assois dans les marches pour réfléchir à tout ça. Qu'est-ce qui se passe avec moi ? Une fois, au parc, OK, c'était peut-être un accident. Mais un deuxième (et énorme)

WEEEE-BEEEP !

Ça commence à devenir
une habitude, ou presque.

✳ Je ne peux pas en parler
à mes parents.

✳ L'accès au labo m'est
interdit en leur absence…

✳ Et je présume que me
modifier génétiquement
figure aussi sur la liste
des choses qu'ils ne veulent
ABSOLUMENT PAS
que je fasse, hein ?

✳ Et puis, ils sont si loin…

Je ne peux pas en parler
à madame Simon non plus,
elle a 145 ans,
ses connaissances
scientifiques sont
probablement très limitées...

Il me reste...

AH OUI : ÉMILE !

Je vais le texter (même
si c'est un traître). Je pense
que c'est un cas d'urgence
et que je pourrais lui
pardonner son comportement
s'il accepte de m'aider.

YO! Émile. Il se passe des choses VRAIMENT louches. J'aimerais t'en parler. Tu es le seul qui est au courant pour...

Béatrice, je t'avais avertie que tu courais des risques... Je n'ai pas le temps de te parler, là, je suis en train de jouer à un jeu de génies en herbe sur mon ordi, et tu me déconcentres.

Je suis
VRAIMENT
inquiète.
S'il te plaît.

Tu ne signes
plus ton nom
à la fin de tes
textos, BÉA ?

Ha ! ha !
Trop nul. Mais
merci pour
le coaching !

Bon, je te laisse, Béa. On se voit à l'école demain. Tâche de ne pas faire de conneries. Ça ne fait pas rire tout le monde, tes blagues plates, tu sauras.

OUF ! Je ne sais vraiment pas quoi répondre à ça. Le cœur de plus en plus gros, je range mon iPod dans la poche de mon coupe-vent... Qu'est-ce que je vais faire ?

Au même moment,
une grosse libellule jaune
et noire avec de gros yeux
globuleux passe devant moi
dans un bourdonnement
d'ailes.

Sans que j'y réfléchisse
un seul instant, ma langue,
comme si elle était animée
de sa volonté propre, sort
d'un coup sec de ma bouche
pour se dérouler rapidement.

Elle est rose, visqueuse et
EXTRALONGUE.

Comme si je regardais un film
au ralenti, je la vois toucher
l'aile de la grosse libellule,
s'enrouler autour du gros
corps jaune et se rétracter
aussi vite !

Je gobe la libellule d'un seul
coup !

crie mon esprit, un peu abasourdi par ce qui vient de se passer.

Mais en même temps,
je sens mon estomac qui fait
MIAMMMMIAMMM MIAMMM.

OH MON DIEU.
Mais qu'est-ce
qui m'arrive ?
D'abord les coassements,
puis la, euh, délicieuse...
OH NON, NON,
la dégoûtante libellule
que j'ai avalée...

Est-ce que
je serais en
train de me...
métamorphoser ?

Inquiète, je demande
à ma petite copine rose, qui
est posée sur mes genoux :

– Oh, Lili... Dis-moi que tout
va bien aller...

– **WEEE BEEEP, WOUF,
WOUF**, me répond-elle
doucement, comme si elle
me comprenait.

Totalement déboussolée,
j'entre dans la maison
et je dépose Lili dans
son terrarium sans faire

de bruit, pour ne pas réveiller madame Simon.

Dans la cuisine, j'avale un sac complet de carottes et de céleris coupés, comme l'aurait fait l'ancienne Béatrice qui se souciait de manger des légumes tous les jours. Ça me rassure un peu de voir que j'aime encore ça. **UN PEU.**

J'essaie de me convaincre que demain, les effets secondaires vont s'être dissipés.

Je dois
y croire...
Il le faut !

– **ROOONNNNNRRRRRR
RFFFFFFLLLLLLLLLLLE...**
répond madame Simon
du salon dans un énorme
ronflement de soutien.

Je me croise les doigts
de toutes mes forces.

Je me réveille avec un sentiment de joie vraiment **INTENSE** dans le cœur. Je ne sais pas trop pourquoi je suis si heureuse, puisque ma nuit a été plus qu'agitée et que j'ai vraiment mal dormi...

J'ai envie de bondir d'un côté et de l'autre dans ma chambre.

OH ! De ma fenêtre, je m'aperçois qu'il pleut à verse. **WOUHOU!!!!!!!**

Je me mets aussitôt
à chantonner :

Il pleut, il mouille,
c'est la fête à la grenouille !
Il pleut, il mouille,
c'est la fête à la grenouille !
Il pleut, il mouille,
c'est la fête à la grenouille !
Il pleut, il mouille,
c'est la fête à la grenouille !

Je n'ai jamais été aussi
contente de voir des flaques
d'eau boueuse s'accumuler
dans la rue.

Je m'habille en vitesse
et je brosse mes cheveux
fuchsia tout en continuant
à chanter la comptine
de la grenouille, qui ne veut
pas me sortir de l'esprit.
J'enfile un autre nouveau
chandail, vert bouteille
cette fois, par-dessus
ma blouse blanche
d'uniforme.

Vive le magasinage en ligne, et merci à la carte prépayée que mes parents me laissent toujours, pour les cas d'urgence, quand ils partent en voyage.

Je suis bien heureuse de mes nouveaux achats, même s'ils ne ressemblent en rien à ce que j'aurais choisi avant.

Il faut dire que **TOUT** ce que j'ai acheté est **VERT** !

Je n'ai pas osé répondre
au **FACETIME**
de mes parents hier
(ni avant-hier).
Je sais que madame
Simon les rassure,
mais je n'ose pas encore
me pointer
le bout du nez multicolore
devant eux.
La nouvelle Béa est
audacieuse, mais...
MAIS !!!!!!!!

241

Je descends notre escalier en colimaçon pour rejoindre ma gardienne, qui s'affaire dans la cuisine.

BONNE NOUVELLE, elle est réveillée, enfin !

Elle me demande, complètement perdue :

Bonjour, Béatrice !
C'est joli, tes cheveux,
c'est pour
l'Halloween ?

Elle remarque mes cheveux
pour la première fois
après presque cinq jours ?

OUF ! La pauvre !
Elle a vraiment le cerveau
embrumé.

Je me sens terriblement
coupable d'embrouiller
encore plus l'esprit
de cette vieille dame
en lui mentant, mais je n'ai
pas le choix :

– **HMMMM, OUI...** C'est
ça... c'est pour l'Halloween.

Je suis désolée
pour hier, ma belle
Béatrice, je dors beaucoup
ces temps-ci. Je dois
couver une petite grippe,
parce qu'en plus, j'ai
la tête complètement
dans les nuages.

Quel jour sommes-nous,
déjà? Il me semble
que le temps passe
vite cette semaine...

Nous sommes jeudi, madame Simon. Jeudi du mois d'OCTOBRE, bien sûr... Ne vous en faites pas, moi aussi, je me couche tôt!

Je n'ai même pas remarqué que vous dormiez beaucoup.

— Tu es tellement sage
et gentille, belle enfant !
Se coucher tôt comme
une vieille dame... il n'y en a
pas deux comme toi !

J'espère très fort que
madame Simon ne remarque
pas la culpabilité qui
doit s'afficher en lettres
fluorescentes sur mon visage
en ce moment.

Je vais peut-être diminuer un peu la dose de tisane que je lui donne le soir. Je suis en train de la rendre TOTALEMENT **ZINZIN** !

— Et ce chandail vert te va à ravir, continue-t-elle de son ton de grand-mère bienveillante. Le vert fait ressortir tes beaux cheveux... Bon, tu as terminé ton déjeuner ? Je vais aller faire une petite sieste sur le sofa, je crois. Tu es à l'heure pour ton bus ? Bonne journée à l'école, ma grande !

— Bonne journée, madame
Simon, reposez-vous bien !
Ah oui, j'oubliais. Est-ce que
je peux faire un petit party
demain soir ? J'inviterais,
euh... PLUSIEURS amis.

— Bien sûr, bien sûr...
Tu peux... zzzzzzzzzzzzzzzz !

OUPS ! Madame Simon
vient de tomber endormie
juste là, là ! Elle dort debout,
la pauvre...

Comme une zombie,
elle s'étend sur le divan
et se met à ronfler
instantanément sans
remarquer que je n'ai pas
touché au déjeuner
et sans avoir demandé
plus de détails sur la petite
soirée que je veux organiser.

De toute façon, elle sera
très certainement endormie
lorsque mes premiers invités
arriveront.

Je ne savais pas que
de la camomille dont on a
modifié l'ADN pouvait être
aussi... euh... puissante ?
Ça reste un produit naturel,
quand même !

Je m'assois à la table
de la cuisine. Je ne sais pas
pourquoi, mais mes céréales
habituelles ne me font pas
envie.

En fait, je suis si totalement
heureuse à l'idée d'aller
attendre le bus sous la pluie
que ça me coupe l'appétit !

J'enfile mes bottes de pluie,
mon imper et **HOP** !
Je bondis hors de la maison.

Il pleut, il mouille,
c'est la fête à la grenouille !
Il pleut, il mouille,
c'est la fête à la grenouille !
Il pleut, il mouille,
c'est la fête à la grenouille !
Il pleut, il mouille
c'est la fête à la grenouille !

Weeee-beeep !
Weee-beeep !
Weeee-beeep !
Weee-beeep !

Je chante ou je coasse, là ?
Peu importe... **IL PLEUT,
IL MOUILLE !**

— Par ici, Béa ! me crient
mes nouvelles amies quand
j'arrive dans la cour d'école,
en me faisant des signes
de la main.

C'est vraiment chouette
d'être attendue comme ça.
Avant, j'entrais seule dans
l'école et je me réfugiais
à la bibliothèque.

Tout heureuse de
ce changement, je m'élance
vers elles sans remarquer
que je n'y vais pas DU TOUT
en marchant normalement !

BONG ! BONG !
BONG !
PLOUSH !
ET
ZUT !

Laure-Lou, mécontente, me chicane :

Béa, fais un peu attention !

Tu m'as tout arrosée !

Encore ton comportement de grenouille ?

Tu sais, je trouve ça un peu bizarre, tout ce qui t'arrive. Tu es sûre que tu vas bien ?

Je me force à rire avant
de répondre à Laure-Lou
(en faisant vraiment
attention de ne pas lâcher
un **WEE-BEEP** accidentel) :

— Oui, excuse-moi. Je voulais
juste blaguer !

Laure-Lou murmure quelque
chose juste pour elle,
les sourcils froncés, et
s'éloigne de nous rapidement.

Mon cœur se serre
de tristesse. Je ne voulais
pas lui faire de peine !

En fait, je n'avais même pas remarqué que je faisais des bonds au lieu de marcher...

Je regarde mes deux autres amies et je leur dis :

— Oh non ! Je ne voulais pas la blesser...

Émy rétorque :

Laisse-la faire,
Laure-Lou est un peu
sensible, c'est tout.
Et elle n'aime pas
les grenouilles autant
que toi, moi et Marika.

Moi, je trouve ça très
drôle de te voir faire.

Tu bondis vraiment
bien ! Ça paraît que
tu en côtoies des tonnes
tous les jours.

– ÇA, C'EST VRAI !
continue Marika. Et puis,
toute la classe est au
courant pour demain,
j'espère que madame Simon
a dit oui !

– Oui, oui ! Je vais sortir
toutes les grenouilles
des terrariums, tout le monde
pourra jouer avec elles,
ça sera VRAIMENT chouette !

Mes deux amies sont tout
excitées. Elles partent
devant pour rejoindre
notre classe, une fois que
la cloche a sonné, sans
remarquer la panique
qui s'est emparée de moi.

Les effets secondaires
de ma transformation
ne s'atténuent pas, on dirait.
Au contraire...

Il va falloir faire quelque
chose, et vite.

Même mes taches de
rousseur multicolores
m'ont paru plus éclatantes
ce matin, quand je me suis
regardée dans le miroir,
et j'en ai maintenant
sur les mains aussi...

Si je dresse honnêtement
la liste de mes symptômes,
comme une vraie
scientifique, eh bien,
force est d'admettre
que...

... j'ai les pieds, les mains et le nez froids comme ceux d'une grenouille...

... je coasse sans le faire exprès...

... les libellules sont des insectes absolument délicieux... (et j'en croquerais bien une tout de suite !)...

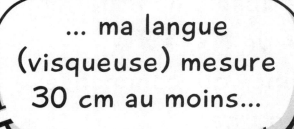

... ma langue (visqueuse) mesure 30 cm au moins...

... la pluie et les flaques d'eau me rendent VRAIMENT heureuse, j'aimerais bien m'étendre dans une flaque de boue...

... je bondis au lieu de marcher.

Je dois absolument parler
à Émile de **NOTRE**
expérience qui commence
à mal tourner.

J'espère que malgré
ses mises en garde,
il pourra m'aider...

J'ai vraiment besoin de lui.
Comment vais-je faire
pour le convaincre ?
EN ATTENDANT...

Je vais mettre à exécution
le petit tour drôle qui
m'a tenue réveillée presque

toute la nuit, entre deux
cauchemars où j'étais
soit totalement dégoûtée
de manger toutes
les libellules du monde,
soit ultra-heureuse de
me sentir enfin rassasiée
par un vrai repas digne
d'une grenouille affamée.

J'ai tellement envie de jouer un autre petit tour à madame Valise que j'en ai des papillons (**OU DES LIBELLULES !**) dans l'estomac.

TANT PIS pour les conséquences, ça va être TROP amusant (et en bonus, ça va sûrement m'éviter de passer le contrôle de lecture pour lequel je n'ai pas DU TOUT eu le temps de me préparer)!

Je flatte discrètement
monsieur Paul, **LE PLUS
GROS OUAOUARON**
que nous possédons
dans notre laboratoire
et que j'ai caché dans
la poche de mon imper.

Ce n'est vraiment pas
notre plus belle grenouille ;
c'est même certainement
la plus repoussante.

En fait, celle-ci, mes parents
l'ont modifiée pour qu'elle
joue dans un film d'horreur.

Elle est **ÉNORME, VERTE**
et **VISQUEUSE !**
Si je ne l'aimais pas autant,
je n'aurais pas le choix de
dire qu'elle fait pas mal peur.

MAIS ATTENTION :
il ne faut pas juger monsieur
Paul uniquement sur

l'apparence, car malgré
ses airs un brin repoussants,
il est aussi **UNE**
des grenouilles les plus
gentilles que nous avons !
Toujours obéissant, il est
le moins imprévisible
et le plus docile de tous
nos batraciens.

Qui sait, peut être
qu'il partage un brin
de mon ancien ADN !

J'espère que madame Valise
l'aimera autant que moi.
Ou pas… C'est à voir !

Chapitre 8

Monsieur Paul
en mission

Dès notre arrivée dans la classe, madame Valise ne perd pas une minute en salutations ou en commentaires inutiles.

Notre prof, depuis ma transformation, semble beaucoup plus abrupte qu'avant. Elle est beaucoup moins patiente et **ME SURVEILLE PRESQUE CONSTAMMENT**.

— Sortez une feuille mobile
et le texte que vous aviez
à lire cette semaine, s'il vous
plaît, nous demande-t-elle,
bien installée derrière
son imposant bureau brun,
en nous regardant
d'une façon que je juge
intimidante. C'est le temps
de faire l'**ÉVALUATION**.

Je me penche vers
mon pupitre. Ce sera bientôt
le moment de jouer pour
monsieur Paul, que j'ai
discrètement transféré
de ma poche à mon bureau

sans que personne ne me voie. Les autres élèves sortent leur feuille, obéissants.

Il est tellement bien dressé, monsieur Paul! Pas un seul petit coassement de tout le trajet. On peut dire qu'il se contrôle mieux que moi, lui!

Il est resté bien sagement
endormi, collé sur
mon efface, en attendant
mes instructions.

Il faut dire que c'est
un des plus grands dresseurs
d'animaux du monde
du cinéma qui s'est occupé
de le coacher pour le film
dans lequel il a joué.
ÇA PARAÎT !

En fouillant dans
mon pupitre pour trouver
le matériel nécessaire
pour mon évaluation

(que j'espère toujours ne pas
être obligée de faire),
je lui gratouille discrètement
la bedaine.

Il le sait, c'est le signe
qu'il doit se tenir prêt
pour sa mission.

Oui, désolée,
mon pupitre est
vraiment bordélique !

Ma prof lève les yeux au ciel,
l'air découragé.

Il faut dire que je n'ai jamais,
de toute ma vie passée,
eu un pupitre qui ne soit pas
parfaitement rangé.

L'ancienne Béatrice,
tellement ennuyante,
prenait un temps fou pour
s'assurer que toutes
ses choses étaient placées
de manière IMPECCABLE !

Béa, quant à elle, s'en contrefiche. Elle a d'autres activités plus intéressantes à faire avec SES AMIES !

Même que je dois avouer que j'aime la pagaille qui règne désormais dans mes cahiers. C'est tellement plus chouette comme ça !

ÇA ME RESSEMBLE BEAUCOUP PLUS.

Je crois qu'avant
de prendre ma potion,
je faisais ce genre
de choses par dépit,
simplement parce
qu'il ne se passait
rien d'intéressant
dans ma vie.

Je tapote la tête
de monsieur Paul, lui tends
une de ses gâteries préférées
(une mouche morte que
j'aurais préféré grignoter
moi-même, pour tout avouer)
et lui fais le signe qui veut
dire : « Va là-bas ! »

Tout doucement et sans bruit,
il se glisse hors de mon bureau.
On dirait un espion dans
un film d'agents secrets ! Il est
vraiment doué pour ce genre
de situation, monsieur Paul.

Madame Valise refait un tour
d'horizon avec **SON
REGARD SCRUTATEUR**
de prof afin de s'assurer que
nous sommes tous prêts.

— Enfin ! On peut commencer,
dit-elle lorsque ses yeux
se posent sur mon plan
de travail.

On garde son nez
sur sa feuille.

Bonne chance
à tous, vous avez
45 minutes pour
compléter l'examen.

Mon cœur bat à tout
rompre dans ma poitrine.

J'ai bien envie de lâcher
un énorme **WEEEE-
BEEEEEPPPP**
de stress, mais je ne veux
pas que madame Valise
me chicane tout de suite
et me demande de sortir
de la classe.

JE VEUX VOIR sa réaction
lorsque monsieur Paul
s'assoira sur son gros bureau
et tentera de lui donner
un grand coup de langue,
comme s'il voulait la dévorer.

Il est tout près du but,
d'ailleurs, et personne
ne l'a encore remarqué.
Un as de ouaouaron !

J'essaie de me concentrer
sur les questions qui sont
affichées au tableau
et qui portent sur le texte
que nous devions lire.

PEINE PERDUE. C'est comme lire des questions en chinois ! Non seulement je n'ai pas lu le texte, mais en plus, je n'y comprends rien. On dirait que mon cerveau a la taille d'un petit pois VERT.

La seule chose à laquelle
j'arrive à réfléchir,
c'est la fameuse comptine
de la grenouille,
qui semble jouer
en boucle dans
mon cerveau de plus
en plus amphibien.

J'aimerais tellement être
à l'extérieur et sauter
dans les flaques d'eau
plutôt qu'être en train
de faire un stupide
examen de lecture !

Du coin de l'œil, j'observe
monsieur Paul qui,
d'un bond énorme, grimpe
sur le bureau de la prof.

Dans moins de 60 secondes,
quand elle finira de répondre
à Rosalie, nul doute
que madame Valise
regagnera sa place
et fera le saut de sa vie.

Je penche les yeux
vers ma feuille pour avoir
l'air de travailler et éviter
d'éveiller les doutes
de ma prof.

Je constate alors que j'ai griffonné la chanson de la grenouille plusieurs fois.

Je ne me souviens même pas d'avoir écrit.

Tout ça commence à être extrême, je trouve. J'aime me sentir différente de l'ancienne Béatrice, mais je ne veux pas devenir complètement louche !

– ARRRRGGG HHHHHHHHHHHH !

hurle tout à coup madame Valise, faisant sursauter toute la classe. C'est un monstre ! crie-t-elle avant de prendre ses jambes à son cou et de sortir dans le corridor tout en s'arrachant les cheveux de la tête.

Incapable de me retenir
plus longtemps,
je m'exclame :

Puis, je m'empresse d'aller
chercher monsieur Paul,
qui bave doucement
sur le bureau de notre prof
sans le moindre signe
de **MÉCHANCETÉ**.

Il a accompli sa mission
comme prévu, et je lui tends
une mouche séchée.
Madame Valise avait l'air
dans tous ses états.

C'EST UN PEU EXAGÉRÉ !

Qui peut avoir aussi peur
d'une petite bête inoffensive
comme monsieur Paul ?

Pas moi, en tout cas.
Je le trouve magnifique.
Je pourrais même l'embrasser
si je ne me retenais pas !

Dans un élan d'excitation
totale, je grimpe sur
le pupitre d'un seul bond,
comme ma grenouille l'a fait
un peu plus tôt. **HOP !**

Je fais une petite pirouette,
puis un grand salut à toute
ma classe, qui me regarde,
bouche bée.

Ne me remerciez pas
pour ce congé
d'examen,
ça m'a fait plaisir !
On se verra
à mon party, auquel
vous êtes tous invités,
d'accord ?
**WEEEEEEE-
BEEEEEP !!!**

Et je m'élance hors de
la classe moi aussi, sans
réfléchir aux conséquences.

OUPS ! Tu te doutes bien
que je n'en sors pas
en marchant, hein ?

On fait la course, monsieur
Paul ? **GOOOO !**
Les flaques d'eau nous
attendent ! WOUHOU !

Chapitre 9

Un party...
entre amis

Je ne sais plus trop
à quelle heure je suis rentrée
hier soir, mais pour une fois,
madame Simon ne dormait
pas.

On peut dire que je me suis
fait **CHICANER** pas
mal fort. Je pense que
je le méritais un peu,
mais à ma défense, je n'ai
pas beaucoup de souvenirs
de ce qui s'est passé entre
le moment où j'ai quitté
la classe et celui où je suis
rentrée à la maison.

Ma gardienne m'attendait,
assise sur le divan,
en se tordant les mains.
Par chance, ça faisait
moins de 45 minutes
qu'elle était réveillée.

Comme elle ne se rappelait plus si nous avions soupé ensemble ou non, son **ALZHEIMER** temporaire a joué en ma faveur : elle ne pouvait pas dire depuis combien de temps j'étais absente.

Mais quand même, elle s'inquiétait tellement qu'elle était sur le point d'appeler la police, ou pire, MES PARENTS quand je suis rentrée toute boueuse et étourdie.

En effet, j'ai des souvenirs (plutôt vagues) d'une grosse mare remplie de grenouilles comme moi, et d'un repas de roi ! **J'AI HONTE** de l'admettre, mais j'ai dû gober 457 libellules.

J'ai réussi à lui faire avaler
mon histoire de golf :
je lui ai expliqué que le père
d'Émile, un joueur de golf
ultra trop intense,
refusait d'être dérangé
quand il était sur un « VERT »,
et qu'Émile et moi avions
dû l'attendre pour qu'il nous
ramène à la maison.

Elle a bien failli ne pas
me croire... C'est vraiment
parce qu'elle écoute le golf
pour s'endormir que j'ai eu
un peu de crédibilité.

Ce matin, je ne me sentais pas très bien. J'ai encore mal au cœur, d'ailleurs.

Pendant que je me repose dans mon lit, je dois lutter contre **LES SPASMES**. Mais ça va beaucoup mieux qu'à mon réveil. Donc, pas besoin d'annuler ma soirée avec mes amis.

Madame Simon a quand même accepté que je reste à la maison pour la journée.

Mon teint plutôt verdâtre l'a convaincue que je ne « feelais » pas super bien.

Je suis peut-être en train de faire **UNE INDIGESTION DE MOUSTIQUES** ? En tout cas, je me suis forcée à prendre un déjeuner normal, question de me sentir un peu plus moi-même.

J'aime bien la nouvelle Béa, **JE L'ADORE**, même. Par contre, je n'ai aucune envie de devenir une VRAIE grenouille.

Les effets secondaires de ma transformation sont beaucoup TROP intenses. Je me demande ce que mes parents en diraient s'ils me voyaient...

Je dois trouver une solution
avant leur retour.
MON EXPÉRIENCE
a vraiment moins bien
tourné que je ne l'espérais,
et c'est peu dire.

Je sors mon iPod pour texter
mes amies. Je ne veux pas
qu'elles pensent que
notre party est annulé,
même si je manque l'école
aujourd'hui.

Message de groupe à Émy,
Marika et Laure-Lou :

Je vous attends vers 18 h, les filles ! Faites passer le mot, le party aura bien lieu, et on va s'amuser comme des fous !

Évidemment, je ne m'attends pas à recevoir une réponse tout de suite, car elles doivent être en classe, mais je sais qu'à l'heure du dîner elles verront mon message.

Émile, maintenant.

Béatrice

Émile, c'est sérieux, j'ai besoin de ton aide. J'ai vraiment beaucoup trop d'effets secondaires qui me font ressembler à un amphibien (tu as dû le constater durant le contrôle d'hier, de toute façon). Je dois fabriquer une nouvelle formule qui neutralisera la première. Je me fiche de ne plus être Béa... Je m'ennuie même de l'ancienne Béatrice. S'il te plaît, aide-moi.

J'espère vraiment qu'il acceptera. **J'AI BESOIN DE LUI.**

En attendant, je prends une autre gorgée de la potion que je réserve habituellement à madame Simon.

J'ai besoin de me reposer, après la nuit d'enfer que j'ai passée à me réveiller en coassant, à me retenir d'aller sauter partout dans la maison et à résister à l'envie de retourner jouer dans l'étang.

Avec un peu de chance,
la journée passera vite,
mes amis arriveront, et Émile
acceptera de m'aider
à redevenir moi-même !

Reste optimiste,
Béa, reste optimiste...

Quand je finis par
m'endormir, mes rêves
me ramènent... vers le pays
des grenouilles.

La sonnette de l'entrée
me réveille brusquement.
OH, NON ! Je regarde
l'heure : 18 h 10. Zut !

Sans me soucier de
mon apparence (je dois avoir
l'air à moitié endormie),
je cours vers la porte
d'entrée pour accueillir
mes premiers invités.

J'espère que
mes amies proches
seront les premières
à arriver.
Comme ça, je pourrai
retourner dans
ma chambre arranger
mon look
sans problème.

Je passe devant la chambre
d'amis pour constater
que madame Simon,
elle, dort encore
profondément.
Heureusement
que le bruit
de la sonnette
ne l'a pas réveillée.

Il faut dire que j'avais
quadruplé sa dose
par rapport à la mienne.
Après tout, ce n'est que
de la tisane un peu modifiée,
rien de bien grave !

Dès que j'ouvre la porte
pour laisser entrer mes trois
amies, je vois leurs visages
changer. Laure-Lou me fixe,
la bouche grande ouverte.

Devrais-je lui dire qu'elle va
avaler une mouche, comme
une grenouille, si elle ne
la referme pas ? Mais non.
Je ne comprends pas
pourquoi elles ont toutes l'air
si surprises de me voir.

– Ça va, Béa ? me demande
Marika en me fixant
de ses beaux yeux bleus.

Je tripote mes cheveux pour vérifier si j'ai une tête tout ébouriffée, après quelques heures de sommeil agité. Ils semblent pourtant OK.

Mon amie lance un regard vers Émy, comme pour lui transmettre un message secret.

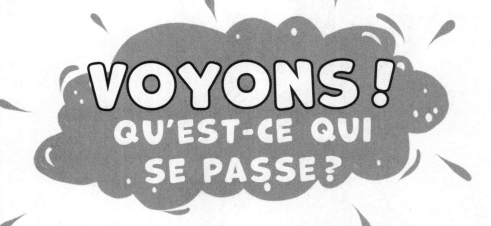

Laure-Lou (qui, heureusement pour elle, a refermé la bouche) me regarde droit dans les yeux et me dit :

QUOI !???

Sans me soucier d'elles,
je bondis en grenouille
vers la salle de bain la plus
proche, sans remarquer
les taches visqueuses
que mes pieds nus laissent
sur le sol.

Dès que j'aperçois mon reflet
dans le miroir, mon cœur
fait 45 tours et passe près
de s'arrêter. **OH NON !**
Laure-Lou a raison...

La peau de mon visage
est **VERTE**, **VERTE**, **VERTE**.
Pas un petit vert malade, là.
Non. Un beau vert ouaouaron
luisant. En plus, elle est
un peu visqueuse au toucher.
En m'examinant de plus près,
je constate que mes pieds
sont en train de devenir verts
eux aussi, et qu'ils sont
palmés.

Mais qu'est-ce que
je vais faire ?

Mon cœur veut **EXPLOSER**,
et je sens de grosses larmes
me monter aux yeux.

Je m'assois sur le sol, sous
le choc. Je suis tout étourdie.

Au bout de quelques minutes
(ou peut-être de une heure,
qui sait, je perds la notion
du temps depuis hier),
j'entends un léger
grattement de l'autre côté
de la porte.

Je n'ai pas envie
de répondre. Je veux juste
me cacher pour le restant
de ma vie.

Béa,
on peut entrer ?
Ou est-ce que tu veux
sortir ? On va
se parler et trouver
une solution...

C'est la voix d'Émile,
il me semble.

Je dois me raisonner.
S'il y a quelqu'un qui peut
m'aider, c'est Émile.

J'ouvre la porte doucement
en laissant une trace
poisseuse sur la poignée.

J'espère que les filles l'ont
préparé à ce qui l'attend...

OUF ! Je me retiens vraiment fort pour ne pas refermer la porte aussi vite et me cacher pour l'éternité.

Quatre paires d'yeux exorbités me dévisagent.

J'inspire profondément
pour trouver le courage
de ne pas prendre
mes jambes à mon cou
et courir me réfugier
à l'endroit où j'ai le plus
envie d'être en ce moment,
c'est-à-dire dans un étang.

Au prix d'un effort
de concentration énorme,
je réussis à articuler sans
COASSER :

– On peut peut-être aller
dans le labo ?

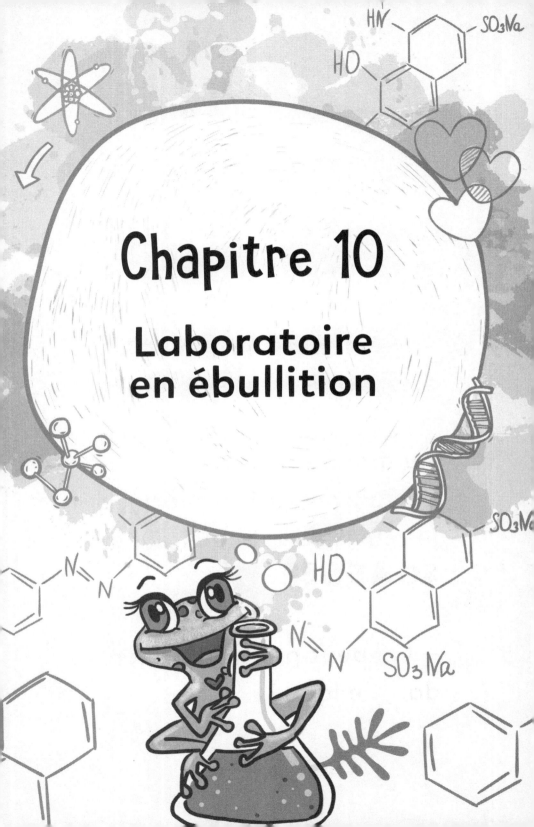

Chapitre 10

Laboratoire en ébullition

Quand j'entre dans
le labo avec Émile, Marika,
Émy et Laure-Lou
(ces dernières ne semblent
pas vraiment à leur aise,
entourées de centaines
d'amphibiens), les grenouilles
se mettent toutes
à coasser gaiement.

On dirait qu'elles m'attendaient et qu'elles sont heureuses de me voir.

Soudain, un détail me revient à l'esprit :

— Et le... **WEEEE-BEEEEPPPP PPPPPPPARTY** ?

OUF !
C'était loin d'être
parfait comme élocution.
Parler normalement
devient de plus
en plus difficile pour moi.
J'espère qu'on trouvera
une solution,
et vite.

— Écoute, on a renvoyé
tout le monde pendant
que tu étais enfermée
dans la salle de bain,
me dit Émy.

— On a pensé que c'était
mieux comme ça, vu
la tournure des événements,
disons ! continue Laure-Lou
tout en fixant les terrariums,
un peu nerveuse.

Mais ne t'en fais pas.
On ne leur a pas dit
que tu étais
complètement verte.
Je leur ai simplement
raconté que ta gardienne
était fâchée de
ton petit tour d'hier,
pendant le contrôle
de lecture, et que
tu étais punie. Si bien
que tu es encore plus
populaire qu'avant!
Les gens vont attendre
ton prochain party
avec impatience.

OUF ! Au moins. Dire que j'annule mon tout premier party à cause de ma transformation...

C'est vraiment trop nul, se changer en vraie grenouille ! N'eût été ça, ma vie en tant que Béa était parfaite.

BON...
peut-être qu'être
un peu plus sage
que la nouvelle Béa
ne serait pas
un luxe non plus.

En fait, l'idéal,
ce serait d'être
une sorte de mélange
entre l'ancienne et
la nouvelle moi.

Je hoche la tête en signe
d'assentiment.

Je ne veux pas ouvrir
la bouche et risquer
un autre **WEEEE-BEEEP**
exaspérant, et encore
moins apeurer Laure-Lou,
qui n'est vraiment pas
dans son élément ici.

— Est-ce que monsieur Paul est OK ? demande Émile en démarrant l'ordinateur géant de mon père. Tu sais, si ton offre de me donner une de vos grenouilles tient toujours, eh bien, c'est lui que je veux. Il est génial ! s'enthousiasme-t-il.

— Oh, pauvre Béa, murmure Marika. Allez, Émile, tu nous as dit que tu acceptais d'aider Béa. Le temps presse, elle arrive à peine à parler. Si elle se transforme complètement en grenouille, qui sait si nous serons capables de l'aider ?

— Je sais, je sais, répond
Émile en repoussant
ses lunettes bleues
à monture géante sur
son nez pour mieux y voir.
Je n'aurais jamais dû
t'aider au départ, Béatrice.
Je savais que ça tournerait
mal. Ce n'est pas une chose
à faire, tester
DES FORMULES
SCIENTIFIQUES
sur nous-mêmes...
Si je t'aide, tu me
promets de ne jamais
recommencer ?

Je lui fais signe que oui
pour éviter de parler, mais
surtout d'ouvrir la bouche.

Laure-Lou hurle, paniquée :

OUPS !

JE SUIS DÉMASQUÉE. TANT PIS...

Je m'empresse d'avaler la **GROSSE** poignée de mouches mortes (la nourriture de nos grenouilles) que j'ai dans la bouche, puis j'essaie de faire un sourire rassurant à mes amis.

Péniblement, je tente
de mettre de l'ordre dans
mes pensées. Je me concentre
et, d'un ton que je crois
normal, je leur dis :

— On doit se mettre
au travail !

C'est raté. À voir la tête de
mes amis, je n'ai visiblement
pas parlé comme
je le pensais.

— C'est OK, me dit Marika,
compatissante. Veux-tu

te reposer pendant qu'on aide Émile ?

Je lui fais signe que oui. Dépitée, je me dirige vers notre plus **GROS** terrarium pour m'y étendre.

– **C'EST ÇA !** Je l'ai enfin !
hurle Émile. On va pouvoir
sauver Béa !

Marika et Émy sautillent
de joie sur place. Il n'y a plus
de trace de Laure-Lou.

Doucement, je sors
du **TERRARIUM** où
je m'étais assoupie quelques
instants. Sûrement
un des derniers effets
de la tisane relaxante.

Je regarde vers la grosse
horloge du labo, mais
je n'arrive pas à lire l'heure.
Je vois des aiguilles,
des signes, mais rien
qui ait du sens pour moi.
Mon cerveau est vraiment
embrumé.

Viens, Béa.
Je vais envoyer ça
vers la machine centrifuge,
si tu me donnes
ton accord.

J'ai trouvé comment
neutraliser
la transformation.

En fait, j'ai créé
une formule inverse
à la précédente.
Je l'ai mise
en zéro négatif,
puis j'ai additionné
une racine neutre
et toujours égale.

Le résultat me donne
le contraire absolu
de la première formule.

C'EST GÉANT,
NON ?

Mes deux amies semblent
très impressionnées
par ce qu'Émile vient de dire.

Pour ma part... je n'ai rien
compris du tout. Mes mains
sont de plus en plus
GLUANTES, et
mes vêtements me collent
au dos.

Je n'ai pas le choix de faire
confiance à mon ami,
qui semble avoir trouvé
une solution.

Encore une fois, sans prendre la peine d'essayer de parler, je hoche la tête. Émile presse la touche « **ENTER** ».

Espérons que tout ira pour le mieux...

J'ouvre les yeux, pour m'apercevoir que le soleil brille derrière les rideaux mauves de ma chambre. Je n'ai aucun souvenir de m'être couchée.

Il y a du bruit en bas... **QU'EST-CE QUI SE PASSE?** J'essaie de me lever, mais j'ai l'impression que tous mes membres sont engourdis, un peu comme lorsqu'on a une grosse grippe.

Je bouge une main, un pied.
On dirait qu'une tonne
de fourmis grouillent
dans mes os !

Soudain, j'entends le rire
de Marika... Elle est ici ?
Comment ça ?

OH ! D'un seul coup,
les souvenirs des derniers
jours me reviennent,
comme des petites lumières
qui s'allument dans
mon esprit.

OH NON, je dois être totalement transformée maintenant. C'est sûrement pour ça que je me sens si mal...

Je n'ose même pas regarder ce qui se cache sous mes couvertures.

Tout en tapant du poing
sur mon lit, je m'écrie :

Mais... Mais... Je n'ai pas
coassé !

Je me lève d'un bond et
je me précipite vers le miroir
sur pied qui se trouve
dans le coin de ma chambre.

– **OH...** mes cheveux sont
encore fuchsia !!!!

Je me regarde bien
attentivement.

Ma peau est redevenue
normale, mes taches
de rousseur ne sont plus
multicolores.

Mes orteils sont normaux,
mes mains aussi.

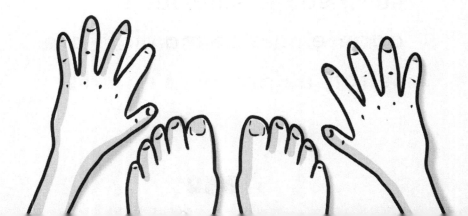

Je ne semble pas gluante,
mais je dois avouer
que je dégage une drôle
d'odeur, comme un mélange
d'algues et de boue séchée.
Je sens l'étang.

Le rire de Marika,
accompagné de celui d'Émy,
se fait de nouveau entendre.

Maintenant que j'ai constaté
que j'ai l'air normale
(mis à part les cheveux),
aussi bien aller les rejoindre
afin d'en apprendre plus.

Madame Simon, toute
pimpante, s'affaire dans
la cuisine.

Oh, Béatrice !
Enfin, tu es levée.
Il est presque midi,
ma grande ! Je suis en train
de faire des gaufres
à tes amies. Est-ce
que tu en veux ?

Mon estomac crie, ou plutôt **HURLE** famine. Bien entendu que j'en veux ! J'en veux une montagne, même !

Oui ! J'ai vraiment faim. Vous avez bien dormi, madame Simon ?

— **TRÈS BIEN !** Je me sens beaucoup mieux, tu sais. Tous mes symptômes de grippe ont disparu. Ça fait du bien de ne plus avoir la tête dans les nuages. J'ai l'impression que la semaine a passé comme dans un rêve.

Je suis heureuse de l'entendre dire ça. Ça me rassure.

Peut-être que mes tisanes n'étaient pas si extrêmes que ça, en fin de compte,

et que son rhume a joué
pour beaucoup dans
son besoin de sommeil.

Je me tourne vers mes deux
amies et leur fais signe
de me suivre dans le salon.

Une fois bien installée
sur les coussins, à l'abri
des oreilles indiscrètes, j'ose
leur demander :

Hier... Je ne me souviens de rien, ou presque.

Où est Émile ? Et Laure-Lou ?

J'ai encore les cheveux fuchsia.

Tout ne s'est donc pas passé comme prévu ?

Ma voix est fébrile, et Marika me prend la main pour me rassurer. Émy me répond :

— Eh bien, ça commençait à être urgent, tu sais. Tu n'arrivais même plus à parler, et puis tu gobais des mouches sans arrêt. Tu t'es endormie dans le terrarium avec ma belle Lili pendant qu'Émile faisait des tonnes de calculs compliqués. Il n'arrêtait pas de dire qu'il n'y arriverait pas sans toi, sauf que tu étais vraiment **HORS SERVICE !**

Elle n'était pas fâchée, elle avait juste hâte que tu redeviennes... humaine, disons. **ELLE A PEUR DES BIBITTES**, je crois! Bref. Après presque deux heures, Émile a trouvé comment neutraliser la première formule. La machine a produit une petite fiole, on t'a fait boire son contenu, on t'a mise au lit et on a pensé que c'était mieux qu'on reste dormir avec toi. **ET VOILÀ!** Tu sembles redevenue toi-même!

Mais, mais... Des millions de questions se bousculent dans mon esprit.

– Et mes cheveux ?

– **AH, ÇA...** Je ne sais pas, répond mon amie. Mais Émile a laissé une note pour toi. Puis... ah oui, j'oubliais ! Tes parents ont appelé ce matin. Ils reviennent demain, en fin de compte. Madame Simon leur a parlé de tes petits ennuis scolaires. J'espère que tu ne seras pas punie trop sévèrement.

La boule d'angoisse qui
monte dans mon estomac
à l'idée de tout raconter à
mes parents est effrayante.

Je sens mon cœur battre
d'inquiétude. D'un autre
côté, c'est aussi TELLEMENT
rassurant.

C'est la preuve que la bonne vieille Béatrice est de retour. Jouer avec mon ADN, c'était très drôle au début, mais finalement, je me rends compte que ce n'était vraiment pas une si bonne idée que ça.

— Tu veux lire la note d'Émile ? me demande Émy.

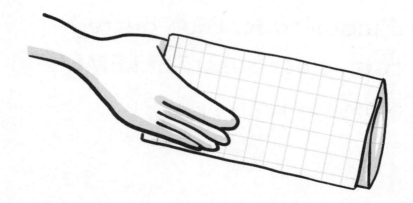

Je prends le papier des mains de mon amie. Je suis contente qu'elles soient encore là toutes les deux, même si la Béa **SUPER COOL** et **REBELLE** semble s'être volatilisée en même temps que sa peau luisante et verte. On dirait bien que je me suis vraiment fait des amies pour de bon.

J'ouvre la note...

Bonjour, Béa !

J'espère que tu as bien
dormi. J'ai réussi à
neutraliser notre première
formule. Je t'expliquerai
tout de vive voix, mais
quand on se reverra,
tu devrais être redevenue
la bonne vieille Béatrice
qu'on appréciait tant
au club de sciences.
La seule chose, et j'espère
que tu ne m'en voudras pas
trop... j'ai laissé la variable

de tes cheveux fuchsia
comme elle était.

Je... Je te trouve vraiment
jolie avec tes nouveaux
cheveux, et j'ai cru
comprendre que toi aussi,
tu les aimais beaucoup.

Bonne journée, à lundi

Émile

P.-S. J'ai emmené monsieur Paul
chez moi. J'espère que c'est OK!

Je vais garder mes cheveux
comme ça, **TROP COOL** !
Au moins, il me restera
un petit quelque chose
de la Béa exubérante
et incontrôlable que j'ai été.

Peut-être que ça m'aidera
à devenir un bon mélange

des deux : ni trop sage
ni trop rebelle !

— Les filles, vous venez ?
Les gaufres sont prêtes !
nous crie madame Simon
de la cuisine, juste
au moment où leur odeur
délicieusement sucrée atteint
mes narines.

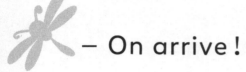

– On arrive !

Je prends mes deux amies
par la main, heureuse
d'avoir pu compter sur
elles, et ensemble, on part
se remplir le bedon.

P.-S. Je ne m'ennuie pas
des libellules !

AS-TU AIMÉ CE ROMAN?

Dessine!

DÉCOUVRE LES AUTRES ROMANS DE LA SÉRIE...